monte*video*

PUNTA DEL ESTE

PIRIÁPOLIS

ROCHA

COLONIA

BALNEARIOS TERMALES

Montevideo es la capital de la República Oriental del Uruguay. Situada al sur del país, a orillas del Río de la Plata, fue creciendo a partir de su bahía y su puerto natural de gran importancia en la región. Tiene una superficie de 532 km² y la habitan 1.400.000 personas.

Fue fundada por Bruno Mauricio de Zavala, general español (Gobernador de Buenos Aires), en 1726, y su nombre original fue el de San Felipe y Santiago de Montevideo.

Ciudad cosmopolita de perfil europeo, sus primeros habitantes provenían de las Islas Canarias, recibiendo posteriormente emigración procedente principalmente de varias regiones de España, de Italia y después del resto de Europa.

Está integrada a todos los adelantos de la vida moderna y es el centro de la vida política, institucional y universitaria del país. En ella tienen su sede los tres poderes del estado (Ejecutivo, Legislativo y Judicial), la Universidad de la República y las universidades privadas, así como los organismos internacionales MERCOSUR Y ALADI.

Ciudad cantada por los poetas, habiendo ejercido su influencia Bartolomé Hidalgo, Julio Herrera y Reissig, Delmira Agustini, María Eugenia Vaz Ferreira, Juana de Ibarbourou (Juana Fernández, llamada Juana de América), pensadores como José Enrique Rodó, Carlos Vaz Ferreira, escritores como el dramaturgo Florencio Sánchez, el cuentista Horacio Quiroga, el novelista Juan Carlos Onetti, galardonado con el premio Cervantes 1980, Mario Benedetti, Eduardo Galeano y tantos otros.

Destacados artistas plásticos como Pedro Figari, Rafael Barradas, Joaquín Torres García, por nombrar algunos, han dejado su huella, de la misma manera que compositores cultos y autores populares como Gerardo Matos Rodríguez, celebrado creador del tango *La Cumparsita*.

Conviviendo armoniosamente con la modernidad, Montevideo ha sabido preservar valiosos testimonios de su pasado histórico, cuidando sus sectores más antiguos. De tal manera el caminante se encuentra a su paso con hermosas plazas, jardines, parques, edificios y casas de diferentes estilos, muy bien conservados.

Montevideo is the capital city of the Republic of Uruguay. Situated in the south of the country, on the banks of Río de la Plata, it grew and developed thanks to its bay and its natural harbour of great importance in the region. It has an extension of 532 square kilometres and a population of 1,400,000 inhabitants.

Founded in 1726 by Bruno Mauricio de Zavala, a Spanish general (Governor of Buenos Aires), it was originally called San Felipe y Santiago de Montevideo.

A cosmopolitan city with a European profile. Its first inhabitants came from the Canary Islands, but it later received inmigrants from different regions of Spain, Italy and the rest of Europe.

It incorporates all the modern life advances and it is the centre of political, institutional and university life in the country. It holds the seat of the three State powers (Executive, Legislative and Judicial), the University of the Republica and the private universities, as well as international organizations such as MERCOSUR and ALADI.

A city sung by poets, very influenced by Bartolomé Hidalgo, Julio Herrera y Reissig, Delmira Agustini, María Eugenia Vaz Ferreira, Juana de Ibarbourou (Juana Fernández, called Juana of America), thinkers such as José Enrique Rodó, Carlos Vaz Ferreira, writers such as the playwright Florencio Sánchez, the short-story writer Horacio Quiroga, novelist Juan Carlos Onetti –winner of the 1980 Cervantes Award– Mario Benedetti, Eduardo Galeano and so on.

Prominent plastic artists such as Pedro Figari, Rafael Barradas, Joaquín Torres García, among others, have left their imprint, as well as highbrow composers and popular musicians such as Gerardo Matos Rodríguez, author of the famous tango La Cumparsita.

Coexisting harmoniously with modernity, Montevideo has preserved treasured testimonies of its historic past, protecting its oldest quarters. This is so true, that the visitor can find beautiful squares, gardens, parks, buildings and houses in different styles in an excellent state of preservation.

▶ **Plaza Independencia.** En medio de la plaza se encuentra la estatua del Prócer Gral. José Artigas, el mausoleo que conserva la urna con sus cenizas, treinta y tres palmeras y cuatro fuentes. Está rodeada de edificios importantes como el Palacio Estévez (antigua sede de la Casa de Gobierno), el edificio Ciudadela, el Palacio de Justicia, el Palacio Salvo (de singularísima arquitectura) que se ve al fondo, el Raddison Hotel Victoria Plaza y modernas edificaciones que son sede de oficinas de diversas empresas. Allí se encuentra la histórica puerta de la ciudadela.

▶ *Independencia Square. The centre of the square is presided by the statue of the national hero General José Artigas, the mausoleum that keeps the urn with its ashes, 33 palm trees and four fountains. It is surrounded by relevant buildings such as Palacio Estévez (old seat of Casa de Gobierno), Ciudadela building, Palacio de Justicia, Palacio Salvo (with a very original architecture) in the background, Radisson Hotel Victoria Plaza and modern buildings which hold the headquarters for different companies. Also there we can find the historic gate of the citadel.*

▶ **José Artigas.** Estatua ecuestre del héroe de la patria oriental. En su entorno hay una fuente y treinta y tres palmeras, evocando a los "Treinta y Tres Orientales", que desembarcaron en la Playa de la Agraciada en 1825, procedentes de Buenos Aires, en pos de la lograda independencia. Debajo de la estatua está el Mausoleo que contiene la urna con los restos del jefe de los orientales.

▶ *José Artigas. Equestrian statue of the hero of the eastern mother country. Around it we find a fountain and 33 palm trees, which evoke the "Thirty-three Eastern Men" who disembarked on Agraciada Beach in 1825 coming from Buenos Aires in pursuit of independence. Underneath the statue is the Mausoleum containing the funerary urn with the remains of Artigas the national hero.*

DETALLE DE LA ESTATUA DEL PRÓCER, CON SECUENCIAS DE SU GESTA. ESTÁ UBICADA EN LA PLAZA INDEPENDENCIA, EN EL CENTRO DE LA CIUDAD DE MONTEVIDEO.

DETAIL OF THE STATUE OF THE NATIONAL HERO, WITH SEQUENCES OF HIS HEROIC DEED. IT IS SITUATED IN PLAZA INDEPENDENCIA, IN THE CENTRE OF MONTEVIDEO.

Puerta de la Ciudadela. Restos de la gran ciudadela, construcción militar edificada en 1742. Estaba rodeada por un foso exterior con baluartes en los ángulos provistos de cañones. Fue demolida entre 1829 y 1877 debido a la expansión de la ciudad. En la Plaza Independencia está ubicada la puerta, uno de los últimos vestigios de aquella obra monumental de carácter defensivo.

Gate to the Citadel. Remains of the great citadel, a military construction built in 1742. It was surrounded by an exterior moat with bastions in the corners equipped with cannons. It was demolished between 1829 and 1877 due to the expansion of the city. In Plaza Independencia we find the gate, one of the last remains of that monumental construction work with defensive purposes.

VISTAS DE LA PUERTA DE LA CIUDADELA / VIEWS OF THE GATE OF THE CITADEL

Palacio Estévez. Fue encomendado por Francisco Estévez a Edouard Manuel de Castel (francés que había trabajado en México, en los tiempos del Emperador Maximiliano). Su propietario vivió en él durante tres años (1875-1878). Se transformó en Casa de Gobierno el 25 de Mayo de 1890. Actualmente tienen lugar allí actividades protocolares como la transmisión de mando y la presentación de cartas credenciales por parte de los diplomáticos, así como recepciones a gobernantes que visitan Uruguay.

Estévez Palace. Its construction was entrusted by Francisco Estévez to Edouard Manuel de Castel (a Frenchman who had worked in Mexico in times of the Emperor Maximilian). Its owner lived in it for three years (1875-1878). It was turned into Casa de Gobierno (House of Government) on May 25, 1890. It is, nowadays, the place where formal activities are held, such as the transmission of powers and the presentation of credentials by diplomats, as well as receptions to rulers visiting Uruguay.

PALACIO SALVO · SALVO PALACE

Palacio Salvo. Inaugurado el 18 de Julio de 1928, es un símbolo de la ciudad. En su momento fue uno de los edificios más altos de sudamérica. Tiene veintisiete pisos y dos sótanos. Para su construcción se utilizaron mármoles de Carrara y granitos de Alemania. En los "cafés" de su entorno se realizaron memorables tertulias protagonizadas por notorios montevideanos e ilustres visitantes, entre ellos el novelista y premio Nobel francés Albert Camus.

Salvo Palace. Opened on July 18, 1928, it is a true symbol in the city. In the past it was one of the highest buildings in South America. It has 27 stories and two basements. Marble from Carrara and granite from Germany were used in its construction. The surrounding cafés witnessed memorable literary gatherings staged by notoriuos citizens and distinguished visitors such as the French novelist and Nobel prize winner Albert Camus.

PALACIO ESTÉVEZ / ESTÉVEZ PALACE

DOS ASPECTOS DE LA AVENIDA 18 DE JULIO / TWO ASPECTS OF 18 DE JULIO AVENUE

Avenida 18 de Julio. Una de las más importantes arterias de la ciudad. A lo largo de su recorrido por el centro de Montevideo se encuentran variados comercios, galerías, salas de teatro, casas bancarias, hoteles, restaurantes, agencias de viaje, plazas e importantes edificios que son sede de empresas nacionales e internacionales, como el edificio *El Gaucho*, que debe su nombre a la estatua que se observa en primer plano, obra del notable artista Juan Zorrilla de San Martín.

18 de Julio Avenue. One of the most important arteries of the city. Along its route through the centre of Montevideo we find different shops, galleries, theatres, banks, hotels, restaurants, travel agencies, squares and relevant buildings holding the headquarters of national and international companies, such as El Gaucho building, which owes its name to the statue in the foreground by the illustrious artist Juan Zorrilla de San Martín.

Legislative Palace.
It raises on a grey granite plinth in a late neoclassical style. With rectangular lines, it occupies 8,000 square metres and is covered with national marble and has stained-glass windows. It is decorated with capitals, festoons, sphinxes, and a cornice that closes the four fronts. It was opened on August 25, 1925 to commemorate the centennial of the independence of the Republica Oriental del Uruguay. The original project belongs to the Italian architect Victor Meano, although the construction works were directed –once the structure was finished– by the also Italian architect Cayetano Moretti. The four fronts of the palace are oriented towards the cardinal points. It has three stories and an upper attic with 24 caryatids. The entrance, a granite staircase, leads to Vestíbulo de Honor (Honour Hall), which takes to the beautiful Salón de los Pasos Perdidos (Hall of Lost Steps) –where relevant celebrations are held– which connects with Salón de las Fiestas (Hall of Parties) and the anterooms of the Representative and Senator Chambers. It is decorated with paintings by illustrious national artists and in the outside we can see four groups of sculptures.

PALACIO LEGISLATIVO / LEGISLATIVE PALACE

Palacio Legislativo. De estilo neoclásico tardío, se alza sobre un basamento de granito gris. Con líneas rectangulares, ubicado sobre una superficie de 8000m², está revestido con mármoles nacionales y tiene vitrales italianos. Está ornamentado con capiteles, guirnaldas, modillones, esfinges y un cornisamiento que cierra los cuatro frentes. Fue inaugurado el 25 de agosto de 1925, conmemorando el centenario de la independencia de la República Oriental del Uruguay. El proyecto original pertenece al arquitecto italiano Victor Meano; dirigió la construcción- finalizada la estructura- el arquitecto Cayetano Moretti, también italiano. Las cuatro fachadas del Palacio se orientan hacia los cuatro puntos cardinales. Tiene tres plantas y en su cuerpo superior un ático con 24 cariátides. El acceso, una escalinata de granito, conduce al Vestíbulo de Honor y de allí se pasa al hermoso Salón de los Pasos Perdidos (donde se realizan actos de relevante importancia), el cual comunica con el Salón de Fiestas y las antesalas de las Cámaras de Representantes y Senadores. Decorado con pinturas de renombrados artistas nacionales, en su exterior se observan cuatro grupos escultóricos.

VISTA DEL PALACIO LEGISLATIVO / VIEW OF THE LEGISLATIVE PALACE

Teatro Solís. Recientemente restaurado y modernizado, es la sala teatral de Montevideo. Sede de la Comedia Nacional. Fue inaugurado en 1856. La fachada tiene ocho columnas que abarcan los dos pisos del amplio edificio. La sala tiene 1600 butacas. A través del tiempo, los montevideanos, regocijados, aplaudieron el paso de renombradas compañías teatrales, de ópera y de artistas célebres como Caruso, Toscanini, Nijinsky, Eleonora Duse, Sara Bernhardt, Louis Jouvet, Vittorio Gasmann, entre muchos otros.

Solís Theatre. Recently restored and modernized, it is the main theatre in Montevideo and the home of Comedia Nacional. It was opened in 1856. The front has eight columns which cover the two stories of this large building. The hall contains 1,600 seats. In the course of time, delighted citizens from Montevideo clapped the performance of famous theatre and opera companies, and celebrated artists such as Caruso, Toscanini, Nijinsky, Eleonora Duse, Sara Bernhardt, Louis Jouvet, Vittorio Gasmann, among others.

Catedral de Montevideo. La Catedral o Iglesia Matriz, que es monumento histórico, fue inaugurada el 21 de Octubre de 1804 y fue el primer edificio de envergadura que tuvo la ciudad. Sustituyó a la "Matriz Vieja" inaugurada en 1746. La denominada "Matriz Nueva" consta de tres naves y una cúpula de 13,52 metros de diámetro por 42,69 metros de altura. Durante las Invasiones Inglesas (1807), albergó a heridos y prisioneros. En la Catedral descansan los restos de personalidades del quehacer político, religioso y militar.

Cathedral of Montevideo. The Cathedral or Mother Church, which is a historical monument, was opened on October 21, 1804 and was the first relevant building of the city. It replaced the "Old Mother Church", opened in 1746. The so-called "New Mother Church" comprises one nave, two aisles and one dome measuring 13.52 metres in diametre and 42.69 metres high. It housed wounded people and prisoners during the English Invasions (1807). The Cathedral also holds the remains of prominent people in politics, religious and military affairs.

CATEDRAL DE MONTEVIDEO / CATHEDRAL OF MONTEVIDEO

PEATONAL SARANDÍ / SARANDÍ PEDESTRIAN STREET

▶ **Plaza de la Constitución (o Matriz).**
Con la Catedral de Montevideo, el edificio del Club Uruguay (uno de los primeros clubes sociales de estilo renacentista), el antiguo Cabildo de Montevideo y, en su centro, una fuente de mármol con querubines y faunos (obra del italiano Juan Ferrari que fuera inaugurada el 18 de Julio de 1871), es uno de los rincones más hermosos de la ciudad. Tiene un extraordinario movimiento desde la media mañana hasta el cierre de las oficinas y bancos de la ciudad vieja. De noche se integra a la "movida" de la peatonal Sarandí.

▶ *Constitution Square (or Matriz).*
Holding the Cathedral of Montevideo, Club Uruguay building (one of the first social clubs in Renaissance style), the old town hall of Montevideo and, in its centre, a marble fountain with cherubs and fauns (by Italian Juan Ferrari, unveiled on July 18, 1871), it is one of the most beautiful places in the city. There is an extraordinary action going from mid-morning until the closing of offices and banks in the old part of town. The action continues at night.

▶ **Peatonal Sarandí.** Recientemente ampliada, abarca una longitud de más de 500m. El renovado paseo peatonal está repavimentado en parte con adoquines reciclados de calles de la antigua Ciudad Vieja. Es centro de bancos, oficinas, ministerios, joyerías, boutiques, refinadas confiterías y restaurantes. En su entorno hay gran variedad de pubs de varios estilos que le dan un carácter especial de "movida" nocturna.

▶ *Sarandí pedestrian street. Recently enlarged, it occupies a length of more than 500 metres. The renewed pedestrian street has been repaved partly with paving stones recycled from streets from the Ciudad Vieja (old part of the city). It is the home of banks, offices, ministries, jewelries, boutiques, refined patisseries and restaurants. Around it there is a great variety of pubs which turn it into a very active area at night.*

PLAZA MATRIZ / MATRIZ SQUARE

RAMBLA COSTANERA / COSTANERA PROMENADE

Rambla Costanera. Vista de la Playa de los Pocitos, en la rambla costanera, que une un collar de playas, como, además de la mencionada, Ramírez, Buceo, Malvín, Honda, De los Ingleses, La Mulata y Carrasco. Modernos edificios rodean las playas de blanca arena y aguas tranquilas. Desde las primeras horas de la mañana hasta entrada la noche, por ella discurren los deportistas enfundados en sus coloridos equipos, allí se dan cita parejas de enamorados, juegan los niños, pasean en grupo los jóvenes, hombres y mujeres de toda edad. En la primavera, el verano y los días otoñales, es extraordinariamente concurrida.

Costanera Promenade. This promenade offers a nice view of Pocitos Beach, connecting a series of beaches, such as Ramirez, Buceo, Malvín, Honda, De los Ingleses, La Mulata and Carrasco. Modern buildings surround the beaches, all of them with white sand and calm waters. From early in the morning until late at night, it is full of sportsmen and women, lovers, children playing, groups of youngsters, and men and women of all ages, being especially crowded in spring, summer and autumn days.

RAMBLA DE POCITOS / POCITOS PROMENADE

Rambla y Playa de los Pocitos.
La Playa de Pocitos es una de las más
concurridas. Los habitantes del populoso
barrio, cuyos edificios se observan, pasean
por ella, practican deportes y disfrutan de
sus blancas arenas y azuladas aguas.

*Pocitos Beach and promenade. Pocitos
Beach is one of the most popular beaches.
The inhabitants of this densely populated area
walk on it, practice sports and enjoy its white
sands and blue waters.*

PLAYA DE POCITOS / POCITOS BEACH

ONDULACIONES

Ondulaciones. Moderna edificación,
frente a la Playa de Pocitos, que sigue
las ondas del mar, en una zona con alta
densidad de población y modernas y
llamativas edificaciones.

*Ondulaciones (waves). Modern construction,
opposite Playa de los Pocitos, that follows the
sea waves, situated in a densely populated area
with modern and striking buildings.*

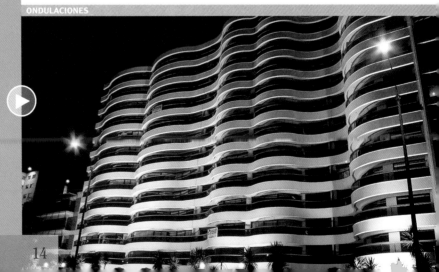

Torre de las Telecomunicaciones. Obra de audaz diseño del arquitecto uruguayo Carlos Ott (a quien se debe la "Opera de la Bastilla" de París). Es la sede de la empresa estatal de telecomunicaciones ANTEL.

Telecommunications Tower. A bold design by Uruguayan architect Carlos Ott (who also designed the Bastille Opera in Paris). It holds the headquarters of the telecommunications State company, ANTEL.

TORRE DE LAS TELECOMUNICACIONES / TELECOMMUNICATIONS TOWER

WORLD TRADE CENTER

World Trade Center. La moderna arquitectura entra en la ciudad y convive con los edificios más clásicos. En el movimiento de estas oficinas se visualiza el empuje de un país que no deja de incorporarse a los audaces estilos de la vida moderna.

World Trade Center. Modern architecture penetrates in the city and coexists with the most classical buildings. Life and action in these offices show the enthusiasm of a country that can't stop incorporating the smart styles of modern life.

Intendencia Municipal de Montevideo.
Este edificio (del arquitecto Mauricio Cravotto) es la sede del Gobierno Departamental de Montevideo. En su explanada se encuentra una réplica del *David* de Miguel Ángel, realizada directamente del original de mármol situado en la Academia de Florencia. Por uno de los lados del edificio se entra al Museo de Arte Precolombino, y en la parte posterior se encuentra el Centro de Exposiciones, que presenta muestras de artistas nacionales. En el último piso tiene restaurante y un mirador desde el cual se observa la extendida ciudad; a ellos se accede por un ascensor panorámico.

City council of Montevideo. This building (by architect Mauricio Cravotto) is the seat of the Departmental Government of Montevideo. In the open area there is a replica of Michelangelo's David, sculpted directly from the marble masterpiece in Florence. One side of the building gives access to the Museo de Arte Precolombino (Pre-Columbian Art Museum), and in the back we find the Exhibition Centre, which offers exhibitions by national artists. A panoramic lift takes the visitor to a restaurant and a viewpoint on the upper floor.

PLAZA DE CAGANCHA · CAGANCHA SQUARE

Plaza de Cagancha.
O Plaza de la Libertad. En su centro se encuentra la Estatua de la Libertad o Columna de la Paz (obra del italiano Jose Livi), que luce en una mano la bandera y las cadenas rotas en la otra. Ubicada en la Avenida 18 de Julio, es el kilómetro cero de la ciudad. En su entorno hay un intenso movimiento, rodeada de hoteles, casas de cambio y comercios de todo tipo. En uno de sus lados está el antiquísimo edificio del Ateneo de Montevideo y desde el comienzo de la Avenida Gral. Rondeau se divisa el Palacio Legislativo.

Cagancha Square. Also known as Plaza de la Libertad. In its centre we find the Statue of Liberty or Column of Peace (by Italian José Livi), holding a flag in one hand and some broken chains in the other. Situated in Avenida 18 de Julio, it marks the kilometre number zero in the city. Action is intense around it, being surrounded by hotels, exchange bureaus and shops. On one side we find the old building of the Ateneo de Montevideo, and from the beginning of Avenida General Rondeau we can see the Legislative Palace.

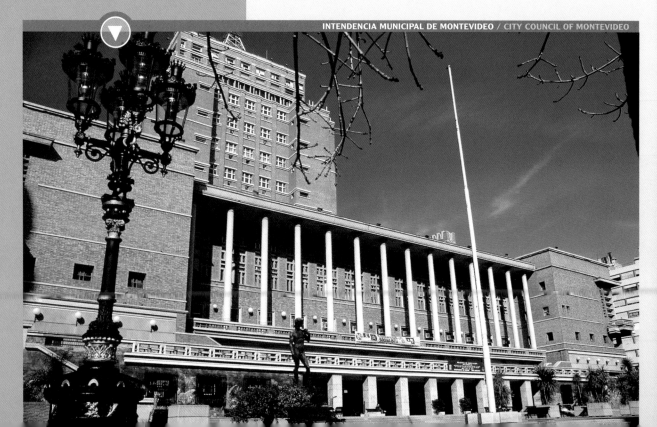

INTENDENCIA MUNICIPAL DE MONTEVIDEO / CITY COUNCIL OF MONTEVIDEO

UNIVERSIDAD DE LA REPÚBLICA Y BIBLIOTECA NACIONAL / UNIVERSITY OF THE REPUBLIC AND NATIONAL LIBRARY

La Carreta. Monumento de José Belloni. Está enclavado en el arbolado Parque Batlle y Ordóñez o De los Aliados, zona de juegos para niños y de paseos recreativos y en cuyo entorno se encuentran el Estadio Centenario (cuya Torre de los Homenajes se ve al fondo), la Pista Oficial de Atletismo y el Polígono de Tiro.

The Oxen Wagon. A monument by José Belloni. It is situated in Parque Batlle y Ordóñez, also called De los Aliados (Park of the Allies), a wonderful play area for children and adults. Its surroundings hold Estadio Centenario (whose Torre de los Homenajes can be seen in the background), the Official Athletics Track and the Shooting Gallery.

LA CARRETA / THE OXEN WAGON

Universidad de la República. Biblioteca Nacional. El edificio de la Universidad -sede de la Facultad de Derecho- es monumento histórico. Su piedra fundamental se colocó el 18 de julio de 1906, inaugurándose la obra el 22 de enero de 1911. Corresponde a los arquitectos Juan Aubiort y Silvio Geranio. A su lado, separado por un recoleto pasaje donde se encuentra la estatua de Dante Alighieri, está la Biblioteca Nacional. Fue el destacado ensayista Zum Felde, entonces su director, quien colocó la piedra fundamental de la Biblioteca Nacional. El edificio, del año 1958, es obra del arquitecto Luis Crespi.

University of the Republic. National Library. The building of the University –seat of the Law School– is a historical monument. Its first stone was laid on July 18, 1906 and it opened on January 22, 1911. The construction works were designed and directed by architects Juan Aubiort and Silvio Geranio. Next to it, separated by a peaceful passage with the statue of Dante Alighieri, is the National Library. It was the outstanding essayist Zum Felde, its director at the time, who laid the first stone of the National Library. The building, dating from 1958, was designed by architect Luis Crespi.

MONTEVIDEO

▶ **Estadio Centenario.** Esta obra del arquitecto Juan A. Scasso es monumento histórico mundial del fútbol. Tiene una capacidad de 80.000 personas. En él y en el Parque Central (Estadio del Club Nacional de Fútbol), se jugó el Primer Campeonato Mundial de Fútbol en el año 1930, organizado por FIFA, que fuera ganado por Uruguay. La llamada Torre de los Homenajes se eleva, vertical, por encima de las tribunas. Un ascensor permite llegar a su cúspide y deleitarse con una hermosa vista de la ciudad. Se integra al Museo del Fútbol (único en su tipo). En el Centenario han jugado las más importantes estrellas del fútbol del mundo, desde Pelé a Maradona, pasando por Distéfano, Puskas, Schiaffino y el inolvidable Héctor "manco" Castro que convirtió el primer gol de Uruguay en el Estadio Centenario, siendo el primero del Mundial, convirtiendo también el último de dicho evento. Se han realizado también conciertos musicales, incluido el célebre de Luciano Pavarotti.

▶ *Centenario Stadium. This work by architect Juan A. Scasso is a worldwide monument for soccer. It has a capacity of 80,000 people. It held –together with Parque Central (the stadium of Club Nacional de Fútbol) the first World Soccer Championship in 1930, organized by FIFA and won by Uruguay. The so-called Torre de los Homenajes raises over the stands. A lift takes the visitor to the top, where he/she can enjoy a beautiful view of the city. It houses Museo del Fútbol (Soccer Museum). The most relevant soccer stars in the world have played in Estadio Centenario: from Pelé to Maradona, without forgetting Distéfano, Puskas, Schiaffino and the unforgettable Héctor Castro, who scored the first Uruguayan goal in Estadio Centenario –being the first one in the World Championship– and also scored the last one in the same Championship. The stadium also holds concerts, such as the one by Luciano Pavarotti.*

ESTADIO GRAN PARQUE CENTRAL / GREAT CENTRAL PARK STADIUM

▷ El 13 de julio de 1930 en este campo deportivo dieron comienzo los campeonatos mundiales de fútbol.

▷ *July 13, 1930 in this stadium, the first world soccer championships were held.*

▶ **Gran Parque Central.** Es el Estadio del Club Nacional de Fútbol; en él se disputó el partido inaugural del Primer Campeonato Mundial de 1930. Allí, por ejemplo, Argentina convirtió su primer gol mundialista. Está ubicado en el lugar donde se encontraba la Quinta de la Paraguaya, emblemático sitio en el que el héroe nacional José Gervasio Artigas fue proclamado, en asamblea memorable, Jefe de los Orientales.

▶ *Gran Parque Central. It is the stadium of the Club Nacional de Fútbol. It held the opening game of the first World Soccer Championship in 1930. Argentina scored its first goal in the World Championship here. It is situated on a place once occupied by Quinta de la Paraguaya, where national hero José Gervasio Artigas was proclaimed national hero.*

PARQUE CENTRAL / **CENTRAL PARK**   CENTRO MUNICIPAL DE FOTOGRAFÍA N° 2

13 de Julio de 1930
Partido Inaugural
1er. Campeonato Mundial
de Football
Montevideo Uruguay

Clubes de Pesca. Estos hermosos clubes se encuentran prácticamente sobre el mar; las reuniones de camaradería son usuales y desde allí se aprecia una hermosa vista.

Fishing clubs. These beautiful clubs, situated over the sea, hold numerous fishing meetings and offer a wonderful view of the city.

Parque Rodó. Con una superficie de 128 hectáreas de espacios arbolados, jardines, fuentes y un lago artificial con numerosos botes, es uno de los grandes pulmones de la ciudad. Paseos, juegos recreativos para niños, canchas de tenis, restaurantes y lugares de entretenimiento, como el Castillito, donde funciona una biblioteca, hacen del parque Rodó uno de los lugares más concurridos de Montevideo. Posee numerosos monumentos, entre ellos al pensador José Enrique Rodó y al dramaturgo Florencio Sánchez. Los domingos, en su entorno, funciona una feria de venta de ropa, muebles, utensilios variadísimos y comestibles. En el verano, en uno de los extremos del parque, tiene lugar la Feria de Libros y Grabados. En un escenario especial sobre el lago, se han realizado espectáculos nocturnos de ballet que concitan extraordinaria asistencia de público. Este parque se encuentra ubicado junto al Parque Hotel Casino, el Teatro de Verano y el Club de Golf.

PARQUE RODÓ / RODÓ PARK

Rodó Park. Its 128 hectares of trees, gardens, fountains and an artificial lake with plenty of boats make of it a true "lung" for the city. Walks, games for children, tennis courts, restaurants and entertainment places, such as Castillito (with a library) turn Rodó Park into one of the most visited places in Montevideo. It has many monuments, among them the statues of thinker José Enrique Rodó and playwright Florencio Sánchez. An open market with clothes, furniture, food and all kinds of gadgets can be visited in its surroundings every Sunday. In the summertime there is a Book Fair at one end of the park. At night, the stage by the lake offers ballet performances which atract a lot of people. This park is situated next to Parque Hotel Casino, the Summer Theatre and the Golf Club.

Cerro de Montevideo. En el Cerro de Montevideo se encuentra la Fortaleza del Cerro, última edificación española realizada en Uruguay entre los años 1809 y 1811. Su imagen es uno de los símbolos del escudo uruguayo, creado en 1829. Desde el Cerro se ve la ciudad. De él deriva el nombre de la ciudad.

Edificio Libertad. Casa de Gobierno. Con el retorno a la institucionalidad, en 1984, este moderno edificio que se había construido como sede del Ministerio de Defensa Nacional, fue destinado a Presidencia de la República. Está rodeado de parques y jardines donde hay obras escultóricas de autores nacionales. En el interior del Edificio Libertad se observan diversas obras de pintores uruguayos. Tiene un helipuerto y en el séptimo piso se encuentra el despacho del Presidente de la República. Es custodiado por soldados del Cuerpo de Blandengues, que presta servicio en la Casa de Gobierno.

Libertad building. Casa de Gobierno. This modern building, originally built as seat for the Ministry of National Defense, was turned in 1984 into Presidencia de la República. It is surrounded by parks and gardens with sculptures by national artists. Inside Libertad building we can see some paintings by Uruguayan painters. It has a heliport and its seventh floor holds the office of the President of the Republic. It is guarded by soldiers belonging to Cuerpo de Blandengues, a division that serves exclusively at Casa de Gobierno.

Puerto de Montevideo. Vista parcial del puerto, de extraordinario movimiento por su estratégica ubicación entre Argentina y Brasil.

Port of Montevideo. Partial view of the port, bustling with action due to its strategic situation between Argentina and Brazil.

Hill of Montevideo. Hill of Montevideo serves as grounds for Fortaleza del Cerro, the latest Spanish construction built in Uruguay between 1809 and 1811. Its profile is one of the symbols of the Uruguayan coat of arms, created in 1829. The hill offers a wonderful view of the city. From this hill, the city receives its name.

CASONA DE BOULEVARD ARTIGAS
OLD HOUSE IN BOULEVARD ARTIGAS

Sede del Mercosur. En el antiguo Parque Hotel -erigido en 1908, obra del ingeniero Federico West-, uno de los más importantes de Sudamérica en su época, y en el entorno del enorme Parque Rodó, frente a la Playa Ramírez, se ha establecido la sede del MERCOSUR, integración económica y cultural de Uruguay con la Argentina, Brasil, Paraguay y Venezuela, además de otros países asociados. La sede es punto de encuentro de las autoridades más importantes y de las representaciones de este organismo internacional de extraordinaria importancia en el continente.

Casonas de Boulevard Artigas. En el entorno del Parque Rodó se encuentran hermosas casonas que conservan su señorial estilo, dando a la zona singular atractivo.

Old houses in Boulevard Artigas. Around Parque Rodó we can find beautiful old houses which still preserve its stately style.

Mercosur headquarters. Old Parque Hotel –built in 1908 by engineer Federico West, and one of the most important ones in South America at that time–, and Parque Rodó surroundings, opposite Ramírez beach, hold the headquarters of MERCOSUR, an organization that integrates the economy and culture of Uruguay, Argentina, Brazil, Paraguay, Venezuela and other associated countries. The headquarters are the meeting place for the most important authorities and representatives of this international organization of great relevance in the continent.

SEDE DEL MERCOSUR / MERCOSUR HEADQUARTERS

Museo Blanes. Vista de puerta de ingreso y escalinata. Es uno de los numerosos museos de Montevideo. Enclavado en el Prado, en él se encuentran las exposiciones permanentes de los pintores Juan Manuel Blanes y Pedro Figari.

Blanes Museum. A view of the main door and staircase. Situated in El Prado, it is one of the many museums in Montevideo. It offers permanent exhibitions of painters Juan Manuel Blanes and Pedro Figari.

MUSEO BLANES   BLANES MUSEUM

FERIA DE TRISTÁN NARVAJA   TRISTÁN NARVAJA STREET MARKET

Feria de Tristán Narvaja. Esta feria dominical funciona desde hace más de un siglo. Ocupa la calle que le da nombre y aledañas. Recuerda al rastro de Madrid y al mercado de las pulgas de París, con sus infinitos y pintorescos puestos que ofrecen los más variados productos, algunos realmente insólitos. Antigüedades, cuadros, ropas, objetos de plata, de bronce, instrumentos musicales, esculturas, joyas valiosas o sin valor alguno, fotografías antiquísimas y herramientas tan variadas cuya utilidad puede desconocerse, se entremezclan con los puestos de frutas y verduras frescas, jaulas de pájaros, conejos y perritos de diversas razas. Posee una extraordinaria zona de librerías de viejo, que ofrece la posibilidad de hallar los textos más inesperados, las ediciones más curiosas y los autores más olvidados, junto a textos de primeras ediciones realmente valiosas. Un público bullicioso y numerosísimo pasa largas horas recorriendo esta feria que ha alcanzado renombre internacional.

Tristán Narvaja street market. This Sunday street market has been operating for more than a century. It resembles the "rastro" in Madrid and the fleamarket in Paris, with never-ending stalls offering the most diverse products. Antiques pictures, clothes, silver and brass objects, musical instruments, scupltures, jewels, old photographs and strange tools share its place with fruit and vegetable stalls, bird cages, rabbits and puppies. It has an extraordinary area of second-hand book-stalls, which offer the most unexpected texts, the most curious editions and the most forgotten authors next to really valuable first editions. People spend hours strolling along this world famous street market.

HOTEL DEL PRADO / PRADO HOTEL

Hotel del Prado. Enclavado en el corazón de uno de los antiguos barrios de la ciudad, con sus glorietas, fuentes y surtidores, es un espejo de la suntuosa zona de veraneo que fuera originalmente y, más tarde, privilegiada zona urbana. Este remansado barrio mantiene todo su encanto señorial.

Prado Hotel. Situated in the heart of one of the oldest districts in the city, it reflects the luxurious vacationing area that once was and, later, privileged urban area. This calm and quiet quarter still preserves all its stately charm.

PUNTA CARRETAS SHOPPING CENTER

Punta Carretas Shopping Center. El 14 de julio de 1994 cambió la fisonomía de la ciudad: fue el momento en que un marco de luces comenzó a recortar la fachada del Punta Carretas Shopping Center, establecido en el lugar que era nada menos que una cárcel, cuyo portal se conserva. Enclavado en medio de una de las zonas más bellas de la ciudad, funcionan en él centros de venta de las marcas de moda internacionales, así como plazas de esparcimiento, con restaurantes, salas de cine y exposiciones. En su entorno hay playas de estacionamiento y se ha edificado un hotel de cinco estrellas. Este tipo de centros comerciales se ha ido expandiendo por toda la ciudad desde la década de los ochenta.

Punta Carretas Shopping Center. The appearance of the city changed completely on July 14, 1994: a silhouette of lights standed out against the front of Punta Carreras Shopping Center, built on the site where an old prison used to be and whose doorway has been preserved. Situated in one of the most beautiful areas in the city, it comprises international boutiques as well as entertainment premises such as restaurants, cinemas and exhibitions. In its surroundings we can find plenty of parking spots and a recently built five-star hotel. This kind of shopping centre has expanded throughout the city ever since the 1980s.

EXPOSICIÓN RURAL DEL PRADO / FARMING EXHIBITION IN PRADO

Barrio del Prado. Amplios espacios verdes en una zona donde están el Jardín Botánico y el museo, este barrio es un tranquilo lugar de esparcimiento que conserva el encanto señorial de los viejos tiempos, y un ritmo casi ajeno al intenso ajetreo que muestra la ciudad en otras zonas. En el Prado, se encuentra el predio de la Asociación Rural del Uruguay, donde desde hace más de 100 años se realiza la exposición rural, allí se exponen los frutos del trabajo agropecuario del país. La producción agropecuaria es el principal rubro de exportación de Uruguay.

Prado district. Large open green areas in a district that comprises the Botanical Gardens and the museum. This district is a quiet place that preserves the stately charm of the old times and a pace very far from the intense action the city shows in other areas. Here we can find the grounds of Asociación Rural del Uruguay, which, for more than 100 years, has been exhibiting the national agricultural and livestock work. The agricultural and livestock production is the main exportation of Uruguay.

BARRIO DEL PRADO / PRADO DISTRICT

PARQUE DEL PRADO / PRADO PARK

IGLESIA DE LAS CARMELITAS
CHURCH OF CARMELITE NUNS

Feria de Villa Biarritz. Ubicada en un barrio arbolado, en los bordes del parque del mismo nombre y en el corazón de una zona residencial con hermosos edificios, todos los sábados se extiende desde la mañana a la media tarde una singular feria, ofreciendo variadísimos artículos, desde frutas y verduras frescas, hasta artículos para el hogar y vestimenta deportiva y de vestir de muy buena calidad.

▶ *Villa Biarritz street market. Situated in an area with numerous trees, in the limits of a park with the same name and in the heart of a residential area with beautiful buildings, the street market opens every Saturday from the morning till mid-evening offering very different articles, from fresh fruit and vegetables to home supplies and sports and casual quality clothing.*

▶ **Iglesia de las Carmelitas.** Una de las más hermosas de Montevideo. Se encuentra ubicada en el Prado. Podemos observar en los detalles su refinado estilo gótico. Es un templo singularmente apreciado para las bodas de los jóvenes contrayentes.

▶ *Church of Carmelite Nuns. One of the most beautiful in Montevideo. It is situated in the Prado district. It is built in a very refined Gothic style. It is a temple very valued by young couples looking for a place to celebrate their wedding.*

FERIA DE VILLA BIARRITZ / VILLA BIARRITZ STREET MARKET

ESCUELA PÚBLICA / PUBLIC SCHOOL

Hotel y Casino Carrasco. Espléndido edificio en el que intervinieron arquitectos y paisajistas franceses. Fue inaugurado en 1921, frente al mar, en una zona que hasta la década del 1950 fue lugar de veraneo y, desde entonces, se ha convertido en la zona residencial más jerarquizada de Montevideo. Acogió a numerosos e ilustres visitantes, entre ellos el poeta Federico García Lorca, quien recitaba sus obras paseándose por los jardines del hotel.

Hotel and Casino Carrasco. A beautiful building designed by French architects and landscapers. Opened in 1921, it is situated by the sea in an area that used to be a vacationing spot until the 1950s and was later turned into the most exclusive residential area in Montevideo. It received many illustrious visitors, the poet Federico García Lorca among them, who would recite his poems while walking through the hotel gardens.

Escuela Pública. Túnica blanca y moña azul. Clásico y simbólico uniforme de la educación escolar, gratuita y obligatoria del Uruguay. La escuela publica cubre el país entero y convive en armonía con los numerosos colegios privados.

Public School. White robe and blue bow: the classic and symbolic uniform of the free and compulsory school in Uruguay. The public school covers the whole country and coexists harmoniously with numerous private schools.

HOTEL Y CASINO CARRASCO / HOTEL AND CASINO CARRASCO

▶ **Carrasco.** Es la zona residencial de mayor jerarquía, posee espléndidas mansiones en medio de vastos predios ajardinados, de bien cortado césped y cuidados árboles, así como centros comerciales, cines, restaurantes, clubes y centros deportivos.

▶ *Carrasco. It is the most exclusive area, and contains beautiful mansions in the middle of large and exquisite gardens as well as shopping centres, cinemas, restaurants, clubs and sports centres.*

MERCADO DEL PUERTO / PORT MARKET

Mercado del Puerto. Este viejo y hermoso mercado construido a la manera de las antiguas estaciones de ferrocarril europeas, fue inaugurado en 1868. En esta estructura de hierro hay incontables locales, en medio de los cuales se eleva un viejísimo reloj cuya torre está forrada en maderas. Hay numerosos restaurantes (con sus extraordinarias parrillas de carne vacuna y ovina asada sobre fuego a leña así como las achuras y los típicos embutidos de chorizos y morcillas, o bien cochinillos y pamplonas), en torno a los cuales se crea un ambiente bullicioso, donde abundan cantantes populares, mimos, payasos, pintores vendiendo sus obras y orfebres con sus puestos allí instalados. Es uno de los lugares turísticos más importantes de Montevideo, al que suelen concurrir las más diversas personalidades del país y los más ilustres visitantes.

Port market. *This beautiful and old market, built in the style of the old European train stations, was opened in 1868. This iron structure contains many premises presided by an old clock whose tower is covered in wood. There are numerous restaurants –with its extraordinary beef and ovine meat barbacues over a wood fire as well as the typical chorizos and black sausages or also roasted piglets– surrounded by a frenzied activity of popular singers, mimes, clowns and painters selling their works. It is one of the most important tourist places in Montevideo, attracting celebrities from the country and famous visitors.*

MERCADO DEL PUERTO / PORT MARKET

MERCADO DEL PUERTO / PORT MARKET

▶ **Tamboriles.** El carnaval es una de las fiestas populares de mayor arraigo en el Uruguay. En Montevideo, durante el mes de enero, se realizan desfiles de comparsas, cabezudos y murgas. Durante el mes de febrero tienen lugar las *llamadas,* desfile de conjuntos de tamboriles de la comunidad negra, de profundos orígenes. Al son de su sonoro repiqueteo discurren bailarinas y grupos de singular vestimenta y compleja simbología.

▶ *Tamboriles. Carnival is one of the most popular celebrations in Uruguay. Parades with bands and musical groups can be seen in Montevideo in January. February is the month for the so-called* llamadas, *or parades of drum bands of the black community. Dancers and people dressed up in a singular and symbolic way dance along to the rhythm of the drums.*

DESFILE DE LLAMADAS / LLAMADAS PARADE

CARNAVAL / CARNIVAL

Museo de Artes Visuales. Posee una de las mayores colecciones de pintura y esculturas. En él se exhiben obras de Pedro Figari, Joaquín Torres García, Juan Manuel Blanes, Blanes Viale y Rafael Barradas. Asiduamente se presentan exposiciones de arte internacional.

Visual Arts Museum. It holds one of the largest collections of paintings and sculptures. It exhibits works by Pedro Figari, Joaquín Torres García, Juan Manuel Blanes, Blanes Viale and Rafael Barradas. It also holds international exhibitions.

Barrio Reus. Barrio Reus es un conjunto de edificios construidos a finales del siglo XIX. Paz, tranquilidad, balcones floridos y coloridas fachadas, pintadas por estudiantes de Bellas Artes, dan su sello particular a este barrio que debe su nombre a Emilio Reus, emigrante español, financista y emprendedor.

Reus district. The Reus district is a group of buildings constructed at the end of the XIX century. Peace, tranquility, flowered balconies and colorful façades painted by Fine Arts students give their own particular stamp to this area that owes its name to Emilio Reus, a Spanish emigrant, financial expert and enterpriser.

Punta del Este

▶ **Punta del Este** spa is famous at an international level. Situated in a privileged area of natural beauty, it houses several wonderful buildings, such as Casapueblo, designed by painter Carlos Páez Vilaró, and majestic mansions that extend out in refined green areas.

The blue sea comes and goes, and in the bright summer days the most beautiful and cosmopolitan women can be seen walking along the white sands of its wonderful beaches. The pink dusks invite the vacationers to contemplate the sunsets while nighttime offers a different world of seductions: from casinos to excellent international restaurants, sports clubs, cinemas, dancing places, art exhibitions and international cinema festivals.

The high buildings reveal to the visitor the silhouette of the spa, with its white-sand and blue-water beaches, and the colour of happiness in the air.

Punta del Este is a magical territory.

El balneario de **Punta del Este** tiene fama internacional. Enclavado en una zona de privilegiada belleza natural, el hombre ha construido hermosas edificaciones, algunas tan audaces como la escultórica Casapueblo, concebida por el pintor Carlos Páez Vilaró, y majestuosas mansiones que se extienden en zonas de muy cuidados espacios verdes y denso arbolado.

El azulado mar va y viene, y en los días luminosos de verano se pasean por las diversas playas de blanca arena las mujeres más hermosas del mundo cosmopolita que Punta del Este convoca. Los rosados atardeceres invitan a los veraneantes a mirar las puestas de sol y en las jubilosas noches está al alcance de la mano un mundo diferente con incontables seducciones: desde casinos a espléndidos restaurantes internacionales, pasando por clubes deportivos, cines, lugares para bailar hasta el amanecer, exposiciones de arte y festivales internacionales de cine con visitas de sus famosas luminarias.

Las altas edificaciones, desde la sinuosa entrada, van revelando al visitante la silueta del balneario, con sus playas de arena blanca y aguas azules y el color de la alegría que se respira en el aire.

Punta del Este es un territorio mágico.

PUNTA BALLENA / WHALE POINT

Casa Pueblo. Como suspendida entre cielo y mar, la originalísima edificación del pintor Carlos Páez Vilaró encarna el verbo serenidad. El estilo enteramente personal tiene un poderoso encanto. Desde sus muchas terrazas, las puestas de sol, con destellos anaranjados sobre el agua, conmueven el corazón. Posee exposiciones del artista, callejuelas pequeñas en homenaje a los grandes creadores latinoamericanos (desde Borges a Amado pasando por Vargas Llosa). Es también Hotel y Restaurante.

Casa Pueblo. As if hanging between the sky and the sea, this original construction by painter Carlos Páez Vilaró represents serenity. The personal style has a powerful charm. Sunsets are really astonishing seen from its terraces. It holds exhibitions by Páez Vilaró and narrow streets named after the great Latin American writers (from Borges to Amado and Vargas Llosa). It is also a hotel and restaurant.

Playa Brava. Una de las clásicas playas de Punta del Este. Sus olas altas y envolventes, que se deshacen sobre la arena fina, concitan un colorido mundo de visitantes, en el apacible clima de las temporadas veraniegas.

Rough Beach. One of the traditional beaches in Punta del Este. Its high waves, which break onto the fine sand, attract a colourful world of visitors in the summertime.

LA RAMBLA / THE PROMENADE

La Rambla. Un paseo clásico de Punta del Este. Con las primeras luces del día comienza a recibir paseantes madrugadores, los cuales se van multiplicando a medida que sube el sol por el cielo, y acaba convirtiéndose en un lugar ideal en los atardeceres para ver morir el sol en las aguas rojizas.

The Promenade. A traditional stroll in Punta del Este. Early walkers and visitors start gathering at dawn, and multiply their number when the sun is high up in the sky. It is the perfect place to contemplate the sun setting in the reddish waters.

Los Dedos. Un símbolo de Punta del Este. Los dedos de una mano de enormes dimensiones emergen de la finísima arena. Y esta mano, que se adivina abierta, recibe a los incontables visitantes del más famoso balneario del Uruguay.

The fingers. A true symbol in Punta del Este. The fingers of a gigantic hand rise from the sand. And this hand, apparently open, welcomes armies of visitors to the most famous spa in Uruguay.

LOS DEDOS / THE FINGERS

PLAYA MANSA / GENTLE BEACH

Gentle Beach. *Another exquisite beach in Punta del Este. Clear water, sun, clean air, blue sky... Visitors say that paradise is here.*

Playa Mansa. Otra perla del collar de playas de Punta del Este. Aguas transparentes, sol, aire limpio, cielos azules. Los visitantes dicen que el paraíso terrenal está aquí; y que es éste.

RAMBLA DE MADERA / BOARDWALK

Rambla de Madera. Los sinuosos caminos discurren en torno a la Playa Mansa, invitando a los veraneantes a pasear por ellos. Pasarela ideal para exhibir los últimos modelos deportivos, o bien, generosamente, la dorada piel de esculturales cuerpos.

Boardwalk. *Winding paths around Playa Mansa invite vacationers to walk. The perfect "catwalk" to exhibit the latest sports outfit or a sculptured and tanned body.*

GLORIETA EN EL PUERTO / CIRCULAR BOARDWALK IN THE PORT

HOTEL CASINO SAN RAFAEL

▶ **Centros Comerciales.** Otra cara del mismo balneario, con centros comerciales de modernísimo diseño. Tiendas de las más famosas marcas internacionales, exclusivos restaurantes y microcines donde se exhiben las mismas películas que en Cannes, París y Nueva York.

▶ *Malls. The other side of the same spa, with modern malls. International boutiques, exclusive restaurants and microcinemas exhibiting the same films as in Cannes, Paris or New York.*

▶ **Hotel Casino San Rafael.** Todo un símbolo de Punta del Este, visitado por variadísimas personalidades y frecuentado por estrellas del cine internacional.

▶ *Hotel Casino San Rafael. A real symbol in Punta del Este, visited by relevant people and celebrities from the world of cinema.*

CENTROS COMERCIALES / MALLS

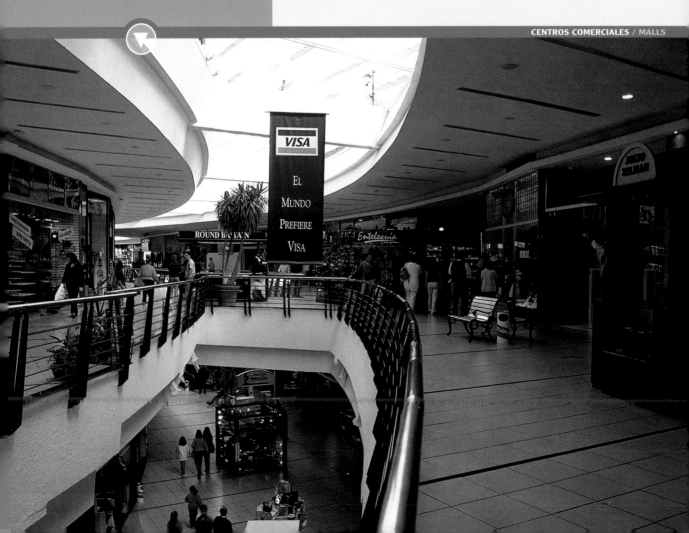

PUERTO DE PUNTA DEL ESTE / PORT OF PUNTA DEL ESTE

Hotel Conrad. Enorme, alto, esbelto, con su casino en funcionamiento todos los días del año, se ha convertido en uno de los atractivos de Punta del Este. Aquí se realizan espectáculos, conferencias internacionales, reuniones de ejecutivos y del mundo empresarial, comercial, artístico y político de todo el continente.

Hotel Conrad. Huge, high and beautiful. Its casino operates 365 days a year, turning it into one of the main attractives in Punta del Este. It holds shows, international conferences and executive, commercial, artistic and political meetings from all over the continent.

El Puerto. Durante el verano ve colmada su capacidad, con barcos de todo el mundo. Es también una de las escalas obligadas para los cruceros que llegan a la región. Paseo perfecto que se entrega como un espectáculo para el corazón. Aquí se percibe la infinita importancia del instante, que resulta esencial para gozar de la vida que discurre en torno y hacia adentro. Detrás los barcos y la península.

The port. Boats and ships from all over the world exceed its capacity in the summer. It is also one of the compulsory stopovers for cruises coming to the area. A perfect stroll that opens up like a show for the heart. Infinity is perceived here in detail, something essential to enjoy life. Beyond it, ships and the peninsula.

HOTEL CASINO CONRAD

BARRA DE MALDONADO

Barra de Maldonado. Los puentes ondulantes nos comunican con un mundo recoleto, de playas arenosas, arboledas, inéditas calles sin asfaltar, edificaciones extravagantes y pintadas de colores muy vivos, restaurantes variadísimos, hoteles y spa exclusivos, aguas azules y, de tejas para arriba, sol. Nos conducen también a José Ignacio, con su faro, hermosas casas y excelente gastronomía. Postal de los veranos que anclan para siempre en el corazón.

Barra de Maldonado. The winding bridges connect us with a quiet world with sandy beaches, tree groves, unpaved streets, extravagant constructions painted in bright colours, restaurants, exclusive hotels and spas, blue waters and sun. They also take us to José Ignacio, where we can enjoy its lighthouse, wonderful houses and excellent gastronomy. A typical postcard of unforgettable summers.

Gorlero. Céntrica avenida de Punta del Este, plena de colorido y movimiento en las temporadas de verano, por donde pasean su belleza las jóvenes más hermosas vistiendo los modernos atuendos más llamativos. Tiendas, restaurantes, galerías y librerías constituyen el marco de un mundo coloreado y vivo.

Gorlero. A downtown avenue in Punta del Este, full of colour and action in summer, where the most beautiful women in the world exhibit their beauty in the most modern and striking attire. Shops, boutiques, restaurants, art galleries and bookshops make up the scenery in this colourful and lively world.

AVENIDA GORLERO / GORLERO AVENUE

MANSIONES / MANSIONS

Mansiones en medio de la naturaleza. Otra de las características del principal balneario son estas enormes mansiones, que, gracias a la seguridad del balneario, nos permite apreciar los enormes jardines, rodeados de cesped, que se integran al paisaje de forma natural.

Mansions in the middle of nature. Another feature of the main spa are these mansions which, thanks to the spa security service, allow us to enjoy the large gardens integrated naturally into the spa complex.

Piriápolis

Piriápolis owes its name to Francisco Piria, founder of an emblematic hotel in the 1930s which turned out to be one of the biggest and most splendid ones in South America. Here, the sea and the mountains kiss each other over a European-style promenade, confering a very particular charm to the spa.

It is one of the most important tourist areas in Uruguay and offers different attractives –besides the ones related to Nature– and it is also the home of international festivals. "Green ray" phenomena can be seen in the quiet sunsets from the sandy beaches. At the end of spring, the visitor could see whales, which, passing by, impress us with their magnificence.

Piriápolis debe su nombre a Francisco Piria, que fundó un emblemático hotel en la década de 1930 y que fuera uno de los más grandes y suntuosos de Sudamérica. Aquí, el mar y la arisca sierra confluyen sobre una rambla de corte europeo, dando al balneario un encanto muy particular.

Es una de las zonas turísticas más importantes del Uruguay y posee diversos encantos -además de los naturales- y es, también, sede de festivales internacionales. El fenómeno del "rayo verde" suele observarse en los calmos atardeceres desde las doradas arenas de la playa y ante el murmurante mar. A finales de la Primavera, también se pueden ver ballenas, que, de paso por aquí, nos deslumbran con su imponencia.

VISTA DE LAS PLAYAS DE PIRIÁPOLIS / VIEW OF THE BEACHES AT PIRIÁPOLIS

Color Local. Las coloridas carpas a lo largo de las playas de Piriápolis, y las sombrillas abiertas aquí y allá, acogen al turista en este balneario que es uno de los más singulares del Uruguay. Las aguas cristalinas, las arenas blancas y la calma que reina bajo el cielo claro invitan a confraternizar con la naturaleza.

Local colour. The colourful tents along the beaches of Piriápolis and the sunshades scattered here and there welcome the visitor to this spa, one of the finest in Uruguay. Crystalline water, white sands and a peaceful atmosphere invite us to fraternize with Nature.

VISTA DE LAS PLAYAS DE PIRIÁPOLIS / VIEW OF THE BEACHES AT PIRIÁPOLIS

▷ **The Sea and the Hills.** *A series of steep hills of intense colours, presided by green, rises over the blue sea, white sand and the promenade in this privileged place, whose architectural design reminds us of the French Riviera.*

▷ **El Mar y Los Cerros.** Un collar de escarpados cerros de intensos colores, donde predomina el verde, ondula por encima del mar azulado, la blanca arena y la rambla de este lugar privilegiado, cuyo diseño arquitectónico tiene reminiscencias de la Riviera Francesa.

LA RAMBLA / THE RAMBLA

▶ **Argentino Hotel.** Edificado en la Rambla de los Argentinos, de frente al mar, es una de las grandes obras de don Francisco Piria, pionero del turismo uruguayo. Fue inaugurado hacia 1930 y, en su momento, uno de los hoteles más grandes y suntuosos de Sudamérica. Tiene una gran piscina climatizada de agua marina, spa, casino y está abierto todo el año.

▶ *Argentino Hotel. Built in Rambla de los Argentinos, by the sea, it is one of the best works by Francisco Piria, a pioneer of the Uruguayan tourism. It was opened around 1930 and it was once one of the biggest and most luxurious hotels in South America. It has a large indoor sea-water swimming-pool, a spa and a casino. It opens all year long.*

▶ **Detalle de la Rambla.** Los paseos al borde del mar por la extensísima rambla tienen el mismo encanto durante el día, cuando todo es blanco, que en los atardeceres de cobre y rosa y en las noches iluminadas. El olor del salitre impregna el aire, como en los atardeceres de perfume de las doradas muchachas que van y vienen dejando rumores de admiración a su paso.

▶ *Detail of the Rambla. The strolls by the sea along this endless promenade offer the same charm during the day, when everything is white, as at dusk or at night. The smell of salt fills the air, as in the perfumed evenings when the suntanned girls come and go causing admiration.*

ARGENTINO HOTEL Y CASINO / ARGENTINO HOTEL AND CASINO

PIRIÁPOLIS

El Castillo de Piria. A pocos kilómetros del mar, rumbo al cerro Pan de Azúcar, se encuentra el castillo de Piria. El mentor y fundador del balneario construyó este castillo que fue inaugurado en 1897. Desde allí se aprecian tanto el mar como los cerros; en torno a él está ubicado el "Pueblito Obrero", lugar donde habitaron los primeros pobladores que trabajaron en las explotaciones minerales.

Castle of Piria. Several kilometres from the sea, in the direction of Pan de Azúcar hill, we find the castle of Piria. The founder of the spa built this castle, opened in 1897. It offers wonderful views of the sea and the hills; around it, the visitor can find "Pueblito Obrero", a place inhabited by the first dwellers who worked in the mines.

Puerto de Piriápolis. El puerto de Piriápolis acoge a los navegantes que llegan. Ubicado en la ladera del cerro San Antonio, es también un lugar escogido para pasear y contemplar el atardecer.

Port of Piriápolis. The Port of Piriápolis welcomes seafarers. Situated on the hillside of San Antonio, it is also an excellent place for walking and watching the sunset.

CERRO DEL TORO / BULL´S HILL

Cerro del Toro. La imponente escultura de un toro domina el paisaje, de su boca mana agua que proviene de un manantial, la tradición indica que beberla trae suerte al visitante. Desde la cima del cerro se contemplan la ciudad y el mar.

Bull´s Hill. The imposing scuplture of a bull dominates the landscape. Its mouth pours springwater, which, according to tradition, must be drunk in order to enjoy good luck. From its top, the visitor can see the city and the sea.

La Cruz. Esta cruz está ubicada en la cima del cerro Pan de Azúcar, fue erigida por Piria en tributo al fervor religioso de su esposa. Tiene una altura de 35 metros y se puede acceder a un mirador ubicado en los brazos, que brinda una panorámica excelente.

The Cross. This cross, situated on the top of Pan de Azúcar hill, was built by Piria to honour his wife's religious enthusiasm. It is 35 metres high and the visitor can ascend to a viewpoint situated in the arms to enjoy a delightful view.

CERRO PAN DE AZÚCAR CON LA CRUZ / PAN DE AZÚCAR HILL WITH THE CROSS

Rocha

The department of Rocha is situated to the east of the country. It posseses a rugged beauty, the intense blue of the ocean dominates its wonderful coastline along 180 kilometres. Its beauties are widely varied: Rocha combines the majestic ocean, the quietness of the little spas and inland villages, palm groves and coastal lagoons, wetlands and the vast and green fields. All these beauties come together in a place where nightlife allures young people who inhabit its beaches in the summer.

Hacia el este del país se encuentra el departamento de Rocha. Posee una belleza agreste, el intenso azul del océano domina sus hermosas costas a lo largo de 180 kms. Sus bellezas son de muy diverso tipo; en Rocha se conjugan la majestuosidad del océano, la tranquilidad de los pequeños balnearios y pueblos interiores, los palmares y lagunas costeras, los humedales, el extenso y verde campo. Todas las bellezas confluyen en un lugar donde, además, la vida nocturna se mueve al influjo de los jóvenes que todos los veranos pueblan sus playas.

PLAYA LOS BOTES / LOS BOTES BEACH

Playa Los Botes. Pequeños botes de pescadores artesanales que salen al mar y pescan las delicias que se sirven en los acogedores restaurantes.

Los Botes Beach. Los Botes Beach is the place to see small fishermen's boats going out to sea looking for the delicacies later served in the friendly restaurants.

▶ **La Paloma.** Ubicado en el antiguo Cabo de Santa María, es el principal balneario del departamento, tiene hoteles, restaurantes y un casino. Sus hermosas playas forman un abanico de opciones, desde las que están ubicadas cerca de la laguna, pasando por "Los Botes", "La Balconada", "La Aguada", hasta el cercano balneario de "La Pedrera" y más allá.

▶ *La Paloma. Situated in the old Santa María Cape, it is the main spa of the department. It has hotels, restaurants and a casino. Its beautiful beaches offer different options, from the ones near the lagoon, Los Botes, La Balconada or La Aguada to the nearby spa of La Pedrera and farther away.*

PLAYAS DE LA PALOMA / LA PALOMA BEACHES

▶ Extensas playas invitan a dar largos paseos y disfrutar del sol y la pesca.

▶ *Vast beaches invite the visitor to take long walks and enjoy sun and fishing.*

FARO DEL CABO DE SANTA MARÍA / LIGHTHOUSE AT SANTA MARÍA CAPE

▶ **Faro del Cabo de Santa María.** Este faro fue construido en 1874 y cuida estas playas que otrora fueran visitadas por piratas. Estas costas fueron un duro escollo para las embarcaciones que zarpaban del Río de la Plata hacia Europa. Varios naufragios tuvieron lugar, y se cree que algunos tesoros yacen bajo el mar.

▶ *Lighthouse at Santa María Cape. This lighthouse was built in 1874 and looks after these beaches once visited by pirates. This coast gave a hard time to the ships which set sail from Río de la Plata bound for Europe. There were several shipwrecks and it is believed that some treasures remain hidden under the sea.*

▶ **La Balconada.** Este balcón al océano es uno de los preferidos por los jóvenes que acuden a diario al atardecer. No falta la planificación de la salida nocturna. La noche cuenta con una oferta variada que va desde pubs, bailes y por qué no un fogón a la luz de la luna.

▶ *La Balconada.* This balcony onto the ocean is favoured by young people, who come at sunset every day. Nightlife offers pubs, dances and even a bonfire under the moonlight.

LOS PALMARES / PALM GROVES

Los Palmares. La belleza del campo adquiere aquí una especial fisonomía, kilómetros de palmares se encuentran conforme la vista contempla y el espíritu se nutre. La palmera ofrece, además de un hermoso cuadro, sombra para el ganado, y deleite para el visitante que prueba los productos que los locales elaboran con su fruto, el "butiá".

Palm groves. Nature takes a special appearance: kilometres and kilometres of palm groves extend before one's eyes. Palm trees also offer an excellent shade for cattle and a delight for the visitor, who can taste the products that localmen make with its fruit, called butiá.

Punta del Diablo. El nombre no le hace justicia a este apacible pueblo de pescadores, en sus angostas callejuelas se puede respirar el olor del mar, sus tabernas sirven el fruto del océano y los artesanos aprovechan caracoles y piedras para crear hermosas artesanías. Es ideal para pasar unos días en sus cabañas a orillas del mar.

Devil's point. This quiet fishermen's village has nothing to do with its name. The smell of the sea can be perceived in its narrow streets, its taverns serve the fruit of the ocean and the artisans use the sea snails and stones to create wonderful crafts. The ideal place to spend some days in a cabin by the sea.

PUNTA DEL DIABLO / DEVIL'S POINT

▶ **La Pedrera.** A pocos kilómetros de La Paloma, encontramos este hermoso balneario. Una calle que discurre entre pintorescas edificaciones nos deposita en un imponente mirador desde donde vemos la península de rocas que le da su nombre y forma dos playas a sus flancos. Ideal para largas caminatas, un baño en las rocas, o para pescar si hay suerte y paciencia.

▶ *La Pedrera. We find this beautiful spa a few kilometres away from La Paloma. A street which runs between picturesque buildings leads us to an imposing viewpoint: the perfect place to contemplate the rocky peninsula that gives it its name and creates two beaches on the sides. Ideal for long walks, swimming near the rocks and fishing.*

MIRADOR DE LA PEDRERA / LA PEDRERA LOOKOUT

PESCANDO EN LAS ROCAS / FISHING BY THE ROCKS

PLAYA EL BARCO / EL BARCO BEACH

▶ **El Barco.** Vestigios de un viejo naufragio nos indican que el océano a veces encrespa sus aguas en La Pedrera.

▶ *The Ship. The remains of an old shipwreck show us that the ocean sometimes makes the waters rough at La Pedrera.*

Colonia del Sacramento

With little more than 19,000 inhabitants, it is the capital city of the department of Colonia (population: 113,000). It is 177 kilometres from Montevideo and it was the first place where Europeans landed. Juan Díaz de Solís was the first white man to be killed by native dwellers. On January 20, 1680 Juan Manuel de Lobo disembarks on the islands and eight days later starts the foundation of Nova Colonia do Santissimo Sacramento.

In 1777, they were crushed by the Spanish.

This territory bears witness of the historical past in the magnificent colonial architecture and has become one of the most touristic places with great attractions in Uruguay.

Its historical heritage –extraordinarily preserved– inspired Borges in the page titled "Colonia del Sacramento", belonging to his work Atlas: "Here we feel unmistakably the presence of time, so odd in these latitudes. The past is contained in the walls and houses, a taste very appreciated in America. No dates and names are needed; what we feel is more than enough, as if we were talking about music."

Con poco más de 19.000 habitantes, es la ciudad capital del departamento de Colonia, que tiene 113.000 habitantes. Se encuentra a 177 km de Montevideo y allí el europeo tocó tierra por primera vez. Juan Díaz de Solís fue el primero de los hombres blancos muerto por los indígenas en el territorio. El 20 de enero de 1680 Juan Manuel de Lobo desembarca en las islas y ocho días después inicia la fundación en tierra firme de la Nova Colonia Do Santissimo Sacramento.

En 1777, los españoles los doblegaron.

Este territorio testimonia el pasado histórico en la magnífica arquitectura colonial y se ha convertido en uno de los lugares turísticos con mayores atractivos del Uruguay.

Su patrimonio histórico -extraordinariamente preservado- llevó a Borges a escribir sobre este lugar y, por ello, nada mejor que citar sus palabras, que se encuentran en la página titulada "Colonia del Sacramento", perteneciente al libro Atlas, para definirlo a cabalidad: *Aquí sentimos de manera inequívoca la presencia del tiempo, tan rara en estas latitudes. En las murallas y en las casas está el pasado, sabor que se agradece en América. No se requieren fechas ni nombres propios; basta lo que inmediatamente sentimos, como si se tratara de una música.*

IGLESIA MATRIZ DEL SANTÍSIMO SACRAMENTO
MOTHER CHURCH OF THE HOLY SACRAMENT

▶ **Iglesia Matriz del Santísimo Sacramento.** Está ubicada en el circuito de la Colonia Antigua. Es una de las primeras construcciones y fue comenzada hacia 1680. El templo, recoleto y hermoso, conserva -entre otras reliquias- un antiquísimo confesionario de madera.

▶ *Mother Church of the Holy Sacrament. It is situated in the route of Colonia Antigua. It is one of the first buildings and was started around 1680. The temple, quiet and beautiful, preserves –among other reliques– an ancient wooden confessional.*

▶ **Calle de los Suspiros.** Se la llama de los suspiros pues en los balcones, las damas de la época suspiraban al pasar los soldados

▶ *Sigh Street. It is so called because the ladies used to sigh when the soldiers passed by in the old times.*

CALLE DE LOS SUSPIROS / SIGH STREET

PUERTA DE LA CIUDADELA / GATE OF THE CITADEL

▶ *Gate of the Citadel. Built at the foot of the city walls in 1754, it is a witness of the evolution of Colonia del Sacramento. These stones –remains of the extraordinary city walls– contain a great power of persuasion.*

▶ **Puerta de la Ciudadela.** Construida al pie de la muralla en 1754, es testigo del devenir de Colonia del Sacramento. Estas piedras -restos de la extraordinaria muralla- tienen poderosa sugestión.

▶ **Museo de los Azulejos.** En él se exhibe una rica colección de materiales de cerámica y azulejos de la época colonial. Sus vívidos colores son testimonios del tono y el estilo de un tiempo que se conserva en toda su riqueza.

▶ *Tile Museum. It exhibits a rich collection of ceramics and tiles from the colonial times. Its bright colours reflect the style of a time preserved with all its richness.*

Capilla de La Concepción y Faro. Una de las primeras edificaciones (al pie de ella se fotografió Borges, quien escribió el texto antes mencionado). Al sureste, se encuentra el faro, que data de 1857. Por su estrecha escalera se puede llegar al punto más alto, para observar el entorno histórico de la Colonia del Sacramento.

Chapel of the Conception and Lighthouse.
The chapel of Conception was one of the first buildings (there is a famous picture of Borges taken at its foot). The 1857 lighthouse stands to the south-east. Along its narrow stairs the visitor can reach the highest point, a perfect place to contemplate the historical area of Colonia del Sacramento.

CAPILLA DE LA CONCEPCIÓN Y FARO
CHAPEL OF THE CONCEPTION AND LIGHTHOUSE

CONSTRUCCIONES DE LA ÉPOCA / BUILDINGS OF THE TIME

Construcciones de la época. Piedra, barro, ladrillo, piso duro y vigorosas puertas de madera mantienen enhiestas estas viejísimas construcciones que son vívido testimonio de un ayer lejano y colorido, que hoy puede ser visitado.

Buildings of the time. Stone, clay, brick, a strong floor and wooden doors maintain these old constructions, a true testimony of a colourful and far-off past, which can be visited today.

Detalles. Farolitos que cuelgan en cada calle del recoleto mundo antiguo de la Colonia del Sacramento. Poéticos nombres de calles y esquinas, pintados en azulejos blancos y azules.

Details. Lanterns hanging on every street of the peaceful old world of Colonia del Sacramento. Poetic street names and corners painted in blue and white tiles.

COLONIA DEL SACRAMENTO

HA SIDO INSCRIPTA EN LA LISTA DEL PATRIMONIO DE
LA CONVENCION CONCERNIENTE A LA PROTECCION DEL
PATRIMONIO CULTURAL Y NATURAL MUNDIAL.
LA INSCRIPCION EN ESTA LISTA CONFIRMA EL EXCEPCIONAL
VALOR UNIVERSAL DE UN SITIO CULTURAL O NATURAL
QUE MERECE PROTECCION PARA BENEFICIO DE TODA
LA HUMANIDAD.
6 DE DICIEMBRE DE 1995

LA ANTIGUA COLONIA DEL SACRAMENTO, FUNDADA EN 1680
POR PORTUGAL, FUE UN ENCLAVE COMERCIAL Y MILITAR
PROTAGONISTA DE UNA CONTROVERSIA HISTORICA ENTRE
ESPAÑA Y PORTUGAL, SUJETO DE GUERRAS Y TRATADOS
DURANTE UN SIGLO CONSERVA UN TRAZADO URBANO UNICO
EN LA REGION Y TESTIMONIOS ARQUITECTONICOS VALIOSOS
DE LOS DISTINTOS PERIODOS DE ESTE RICO PASADO CON UN
SENCILLO PERFIL POPULAR.

EL BARRIO HISTÓRICO / HISTORICAL DISTRICT

Patio del Hotel. Servicios de primer nivel se ofrecen a los turistas internacionales que llegan hasta Colonia del Sacramento, en los diversos hoteles situados en el barrio histórico. Vista del patio central de uno de los hoteles, donde se respira el pasado y la naturaleza florece en todo su esplendor.

Hotel Courtyard.
First-class services are offered to the international tourists coming to the different hotels situated in the historical district of Colonia del Sacramento. A view of the central courtyard of one of the hotels, where the past fills the air and nature blooms in full splendour.

El Barrio Histórico. Vista desde el faro del circuito histórico de Colonia del Sacramento, con la Catedral y las antiguas edificaciones de la Colonia del Sacramento situadas en torno a la plaza mayor. Detrás, el puerto del "Río como mar", con sus playas de arena blanca y el puerto al que van y vienen los yates.

Historical District. A view from the lighthouse of the historical route of Colonia del Sacramento, with the Cathedral and the old buildings of Colonia del Sacramento around the main square. Behind it, the white-sand beaches and the marina.

PATIO DEL HOTEL   HOTEL COURTYARD

SOUVENIRS

Casona Portuguesa del Siglo XVIII. El más lejano pasado de un país muy joven ha sido recuperado en Colonia del Sacramento. Esta casa portuguesa del siglo XVIII, totalmente reciclada, conserva los colores de la época.

Portuguese manor from the 18th century. The most distant past of a very young country has been recovered in Colonia del Sacramento. This Portuguese 18th-century manor, totally recycled, preserves the colours of the time.

Souvenirs. En antiguos almacenes y tiendas de fachadas que no disimulan el paso del tiempo, se venden *souvenirs* al turismo internacional que llega hasta Colonia. Desde pequeñas regaderas de latón para jardines minúsculos, hasta ropa tejida en hilo o en lana, pasando por los clásicos mates y bombillas, así como artesanías de la zona y cuadros con motivos del lugar.

Souvenirs. Old warehouses and shops sell souvenirs to the international tourists who travel to Colonia. From little brass watering cans for tiny gardens to clothing made of wool, or gourds for drinking mate as well as local crafts and paintings.

Plaza de Toros. Inaugurada en 1910, con capacidad para albergar unas 10.000 personas, en ella se realizaron varias corridas de toros, hasta que fueron prohibidas en el Uruguay en el año 1912. La construcción, que se conserva con las heridas del tiempo transcurrido, es un silencioso testimonio de los vítores a los destacados toreros españoles que en ella dieron breve muestra del arte taurino.

Bullfighting ring. Opened in 1910, with a capacity for 10,000 people, it held several bullfights until these shows were banned in Uruguay in 1912. The building, preserved together with the wounds caused by time, is a quiet witness of the cheers to the Spanish bullfighters who exhibited their art here.

DIVERSAS VISTAS DE LA PLAZA DE TOROS / DIFFERENT VIEWS OF THE BULLFIGHTING RING

Termas
(Thermal baths)

La zona termal del Uruguay se encuentra en el litoral oeste, en los departamentos de Paysandú y Salto. Hay seis emprendimientos termales, Guaviyú (cerca de Paysandú), Almirón (a 90 kilómetros de Paysandú, son las únicas termas de agua salada de Sudamérica); Dayman (a 7 kilómetros de Salto), San Nicanor (también en Salto, combina la actividad termal con el turismo rural). Lago de Salto Grande (cercano al embalse de la represa homónima, un hotel y un parque acuático) y Arapey (con su aspecto de pequeño pueblo y ahora con un hotel de categoría internacional). El agua proviene del "Acuífero Guaraní", una de las reservas de agua dulce más grandes del mundo. En esta zona, el agua surge a una temperatura de aproximadamente 40 grados celsius, con una presión tal que hace que no sea necesario bombearla desde las profundidades. Las vacaciones y el descanso no sólo beneficiará nuestro espíritu, el agua mineral y sedante tonificará nuestro cuerpo, y el paisaje natural y exuberante hará el resto. La oferta turística es variada y va desde campings hasta hoteles 5 estrellas; también hay hermosas cabañas, o si prefiere puede alojarse en las hermosas ciudades vecinas, Paysandú y Salto.

The thermal area in Uruguay is situated in the west coast, in the departments of Paysandú and Salto. There are six thermal baths: Guaviyú (near Paysandú) and Almirón (90 kilometres from Paysandú) are the only sea-water baths in South America; Daymán (seven kilometres from Salto), San Nicanor (also in Salto, combining thermal activity with rural tourism), Lago de Salto Grande (near Salto Grande reservoir; hotel and water park) and Arapey (a small village appearance and now has an international category hotel). The water comes from "Guaraní aquiferous", one of the largest fresh water reservoirs in the world. In this area, water spouts approximately at a temperature of 40°C, and the pressure is so high that there is no need to pump it up. Vacation and rest will benefit our spirit, mineral water will tone up our body and the exuberant landscape will do the rest. The touristic offer is varied: five-star hotels, beautiful cabins or lodging in the nearby cities of Paysandú and Salto.

Daymán. A orillas del río homónimo, se encuentra este complejo termal. El predio es explotado por la municipalidad; se trata de un hermoso jardín con piscinas aquí y allá que invitan a pasear y relajarse. Existe un Spa, un parque acuático y hoteles privados que tienen sus propias piscinas.

Daymán. This thermal complex is situated on the banks of the river Daymán. The premises are run by the town council. It offers a beautiful garden with swimming pools which invite the visitor to walk and relax. There is a Spa, an aquatic park and private hotels with their own swimming pools.

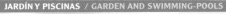

JARDÍN Y PISCINAS / GARDEN AND SWIMMING-POOLS

Color Local. Por estar a sólo 7 kilómetros de la ciudad de Salto son las termas más concurridas por los pobladores locales. Tomar sol, darse un baño en las piscinas de variada temperatura o pasar un día al aire libre es costumbre para quienes viven tan cerca de este paraíso.

Local colour. *Being only seven kilometres away from Salto, it is the thermal complex most visited by the local dwellers. Sunbathing, swimming in the pools or spending a day outdoors is a routine for those who live near this paradise.*

Costanera. Uno de los paseos obligados es la costanera salteña. Al arrobamiento que significa contemplar las apacibles aguas del Río Uruguay, hay que sumarle el ingrediente fundamental que le brinda la luz cobriza del atardecer.

Costanera. A "must" when going out walking. The mystic beauty that inspires the peaceful waters of the Uruguay river gains grandeur thanks to the copper light at sunset.

PISCINAS Y LAGO / SWIMMING-POOL AND LAKE

Las Olas. No son sólo patrimonio de la costa este del Uruguay, también aquí se puede dar un chapuzón como si estuviera en la mejor de las playas.

The waves. They are not exclusive from the eastern Uruguayan coast. The visitor can take a swim here as if on the best of the beaches.

Cerca del Lago. El lago que forma el embalse de la represa eléctrica de Salto Grande es el marco natural que hace más agradable el baño termal.

Near the lake. The lake created by the dam at Salto Grande reservoir is the natural setting for a delightful thermal bath.

Atardecer sobre el río. El río Uruguay es el hilo conductor de la zona termal, y nos deleita con uno de sus mayores espectáculos. Este marco hace que esta zona tenga un encanto natural y único.

Sunset over the river. The Uruguay river is the thread of the thermal area and offers one of the main shows. This setting lends the area a natural and unique charm.

Título / Title:
Montevideo, Punta del Este, Piriápolis,
Rocha, Colonia, Balnearios Termales

Dirección editorial / Editorial direction:
Raquel López Varela

Coordinación editorial / Editorial coordination:
Antonio Manilla

Textos / Text:
Gustavo Losa, con la colaboración de
Manuel Losa (y de archivo, de la 1ª ed.
Rubén Loza Aguerrebere)

Fotografías / Photography:
Gustavo Losa (y de archivo, de la 1ª ed.
Florencia Varese Isern)

Diseño y maquetación / Design and layout:
Darrell Smith

Tratamiento digital de imágenes /
Digital treatment of images:
David Aller y Ángel Rodríguez

© LOSA LIBROS LTDA.
COLONIA 1551/53
Tel./Fax: 401 2905 - 401 8587
http://www.losa.com.uy
libros@losa.com.uy
11200 MONTEVIDEO - URUGUAY

© EDITORIAL EVEREST, S. A.
Carretera León - La Coruña, km 5
LEÓN (España - Spain)

SEGUNDA EDICIÓN

ISBN-13: 978-84-241-1492-3
Depósito legal: LE. 25-2009

Printed in Spain - Impreso en España
EDITORIAL EVERGRÁFICAS, S. L.
Carretera León - La Coruña, km 5
LEÓN (España - Spain)
www.everest.es
Atención al cliente: 902 123 400

Diversión. A quienes les gusta la adrenalina no les faltará ocasión para probar los juegos acuáticos que se ofrecen.

Fun. Adrenaline lovers will enjoy the water games offered here.

▶ **Relax.** Una ducha con agua caliente es lo más parecido, pero hay que experimentar la sensación de relax que se obtiene aquí para sentir que no tiene comparación.

▶ *Relax. A hot-water shower is the most similar thing, but you must experience the sensation of relax obtained here to feel something incomparable.*

▶ **Termas todo el año.** Aunque la temporada termal es en el invierno (desde mayo hasta septiembre), las termas se disfrutan todo el año.

▶ *Thermal baths all year round. Although the thermal season is during the winter (from May to September), the thermal baths are enjoyed all year round.*